Claves
Competencia gramatical
en USO

B2

Antonio Cano Ginés
Pilar Díez de Frías
Cristina Estébanez Villacorta
Aarón Garrido Ruiz de los Paños

Coordinadora: Inmaculada Delgado Cobos

GRUPO DIDASCALIA, S.A.
Plaza Ciudad de Salta, 3 - 28043 MADRID - (ESPAÑA)
TEL.: (34) 914.165.511 - (34) 915.106.710
FAX: (34) 914.165.411
e-mail: edelsa@edelsa.es - www.edelsa.es

Tema 1. Los pronombres personales

Ejercicio 1.
1. María le dice a Sandra que Ø pare la moto. Prefiere ir caminando hasta su casa; 2. Dudo que él sea el culpable. Creo que la culpable es ella porque Ø es muy mentirosa; 3. No creo que ella tenga problemas en Japón, porque Ø conoce muy bien el país; 4. Querría interrogarle a él antes que a vosotras dos. Creo que él dice la verdad; 5. El alumno pide a su profesor que Ø le retire el castigo; 6. No estoy seguro de que Ø vuelvan; 7. Ø exigí una explicación a mi marido que Ø no me dio nunca; 8. Mi madre dice que él debe respetar la decisión del juez, pero yo creo que Ø debe recurrir; 9. Ø os pedimos que Ø nos digáis la verdad en todo momento; 10. Me sorprende que tú no sepas la verdad de todo esto. Ø eres un ingenuo; 11. Este zumo me lo voy a beber ahora mismo, antes de que Ø tenga que salir; 12. A ellos no les gusta acostarse tan tarde y, la verdad, a mí tampoco. Es que Ø soy muy dormilón.

Ejercicio 2.
1. lo; 2. ti; 3. lo; 4. lo; 5. te; 6. te; 7. me; 8. ti; 9. Me; 10. te; 11. lo; 12. me; 13. lo; 14. te; 15. lo; 16. mí; 17. me; 18. le; 19. lo; 20. me; 21. te.

Ejercicio 3.
1. Me; 2. le; 3. Le; 4. me; 5. Le; 6. me; 7. selo; 8. Se lo; 9. me lo; 10. lo; 11. Le; 12. Se la.

Ejercicio 4.
1. freírlas; 2. escúrrelas; 3. añádelos; 4. dale; 5. sácala.

Ejercicio 5.
1-c; 2-f; 3-b; 4-g; 5-d; 6-h; 7-a.

Ejercicio 6.
1-d; 2-c; 3-e; 4-a.

Ejercicio 7.
1. Pedro, Paula y yo nos vamos al cine ahora mismo; 2. Marta, no te enfades conmigo; 3. Dime cuándo se las devuelves para que yo pueda pedírselas; 4. Ya sabes que se te ha acabado el plazo para pagar la matrícula; 5. Se nos ha olvidado darte un recado de su parte; 6. Pues tú y yo vivimos muy cerca de la ciudad; 7. El gato se nos escapó de las manos; 8. Oye, ¿te marchas sin despedirte de nosotros?; 9. Lógicamente tú, él y yo entramos por la puerta grande.

Ejercicio 8.
1. Laura y Pablo se olvidaron la luz encendida antes de salir de casa; 2. Se me ha perdido el pasaporte y no he podido coger el avión a París; 3. A Luis se le rompieron los platos cuando ponía la mesa; 4. Se me ha soltado uno de los hilos que sujeta el cuadro y se me ha caído al suelo.

Ejercicio 9.
1. Se; 2. lo; 3. lo; 4. Me; 5. me; 6. Se; 7. me; 8. Se; 9. me; 10. le; 11. se ; 12. lo; 13. él; 14. Me; 15. me; 16. lo; 17. Se; 18. me; 19. le.

Tema 2. Los relativos

Ejercicio 1.
1. He quedado con un amigo con el que trabajé unos años; 2. Te he traído todos estos diccionarios. Son los que me pediste; 3. Pedro es un abogado en el que no confío; 4. Terminaré en marzo la tesis en la que llevo trabajando dos años; 5. La empresa ha dado los resultados económicos del año que son muy favorables; 6. Esta noche viene a cenar Carlos con el que quiero colaborar en un proyecto; 7. Ayer encontré el libro que llevaba tiempo buscando; 8. A las cinco llegó el presidente francés con el que la presidenta alemana firmará un acuerdo.

Ejercicio 2.
1. el que; 2. que; 3. las que; 4. la que; 5. Los que; 6. los que; 7. que; 8. que; 9. que; 10. los que.

Ejercicio 3.
1-e-IV; 2-a-I; 3-f-V; 4-c-VI; 5-d-II.

Ejercicio 4.
1. Quien; 2. los que; 3. a la que; 4. el que; 5. que; 6. lo que; 7. Quien; 8. las que.

Ejercicio 5.
1. donde, adonde, donde; 2. donde; 3. a donde; 4. donde.

Ejercicio 6.
1. la que; 2. los que; 3. el que; 4. lo que; 5. lo que; 6. las que; 7. los que; 8. la que; 9. lo que; 10. lo que.

Ejercicio 7.
1. Lo que; 2. cómo; 3. el que; 4. como; 5. como; 6. La que; 7. Lo que; 8. la que; 9. El que; 10. lo que; 11. lo que; 12. como; 13. adonde; 14. donde.

Ejercicio 8.
1. que; 2. que; 3. Lo que; 4. que; 5. donde; 6. las que; 7. los que; 8. lo que; 9. como; 10. ataca a los ordenadores; 11. Lo que hace; 12. Lo que; 13. como realizan las estafas; 14. a los que.

Tema 3. El futuro perfecto

Ejercicio 1.
1. Habrás terminado; 2. Habrá puesto; 3. Habremos vuelto; 4. Habréis estado; 5. Habrán sido; 6. Habrá salido; 7. Habrás comido; 8. Habré cerrado.

Ejercicio 2.
1. Habré hecho; 2. Habré estudiado; 3. Habré hablado; 4. Habré visitado; 5. Habré ordenado; 6. Habré planchado; 7. Habré conocido; 8. Me habré divertido.

Ejercicio 3.
1. habré terminado; 2. nevará; 3. habrá nevado; 4. habrá recibido; 5. habrá cansado, habrá ido; 6. será; 7. habrá podido; 8. vendrá.

Ejercicio 4.
1. Habrá comido; 2. habré dejado; 3. habrá apretado; 4. habrá llovido; 5. Habrán cortado; 6. Habrá nevado, habrán acabado; 7. Habrá ido; 8. Habrá soñado.

Ejercicio 5.
1-e, habré salido; 2-c, habrá salido; 3-f, habremos terminado; 4-b, habré hecho; 5-d, habrá estudiado.

Ejercicio 6.
1. Habrás ahorrado; 2. Habrás contribuido; 3. Habrás apoyado; 4. habrás ayudado.

Tema 4. El condicional compuesto

Ejercicio 1.
1. Habría juzgado; 2. Habrías hecho; 3. Habrían dicho; 4. Habría resuelto; 5. Habríamos decidido; 6. Se habría quejado; 7. Habríais abierto; 8. Habría supuesto; 9. Habría devuelto; 10. Habría esperado; 11. Habrían subido; 12. Habría rehecho; 13. Habría roto; 14. Habríamos visto; 15. Habrías vuelto.

Ejercicio 2.
1. Habría aprendido; 2. Habría entendido; 3. Habría viajado; 4. Habría tenido; 5. Habrías escrito; 6. Habríamos terminado; 7. Habrían descubierto; 8. Habríamos pisado; 9. Habrían descubierto; 10. Habríais decidido.

1. Habrían terminado; 2. Habría vuelto; 3. Habríamos cambiado; 4. Habríais rehecho; 5. Habrían contado; 6. Habría conseguido; 7. Habrías sido; 8. Habría ganado; 9. Habríamos triunfado; 10. Habrían inventado.

Ejercicio 3.
1. habría gustado-3; 2. habrías querido-1; 3. habrías terminado-2; 4. habrías hablado-1; 5. habría invitado-4; 6. habría llegado-2; 7. habría conocido-4; 8. habría llamado-3; 9. habríais intentado-3.

Ejercicio 4.
1. habríais llegado; 2. habrías probado; 3. habrías aprobado; 4. habrías conocido; 5. habrías visto; 6. habría sospechado; 7. habría vuelto; 8. habría prestado; 9. habríamos descubierto.

Ejercicio 5.
1-c; 2-h; 3-e; 4-f; 5-j; 6-a; 7-g; 8-b; 9-i.

Ejercicio 6.
1. habría probado; 2. habría llevado; 3. habría fallado; 4. habría llamado.

Tema 5. El pretérito imperfecto de subjuntivo

Ejercicio 1.
1. Comieron, comieras / comieses; 2. Vivieron, viviera / viviese; 3. Saltaron, saltáramos / saltásemos; 4. Trabajaron, trabajarais / trabajaseis; 5. Escribieron, escribieras / escribiesen; 6. Contestaron, contestara / contestase; 7. Contaron, contaras / contases; 8. Explicaron, explicara / explicase; 9. Cortaron, cortáramos / cortásemos.

Ejercicio 2.
1. Cupiera; 2. Dieran; 3. Dijéramos; 4. Estuvieras; 5. Hubiera; 6. Hicieran; 7. Pudierais; 8. Pusiera; 9. Quisiera; 10. Supieras; 11. Fueran; 12. Fueran; 13. Tuviéramos; 14. Trajeran; 15. Vinieras.

Ejercicio 3.
1. produjese; 2. redujese; 3. sintiese; 4. mintiese; 5. prefiriese; 6. durmiese; 7. muriese; 8. midiese; 9. pidiese; 10. sirviese; 11. leyese; 12. creyese; 13. cayese; 14. construyese; 15. oyese.

Ejercicio 4.
1. fueran; 2. tuvierais; 3. quisieran; 4. se durmieran; 5. hablarais; 6. saliera; 7. fuerais.

Ejercicio 5.
1. llamara; 2. fuera; 3. volviéramos; 4. sirviera; 5. fueran; 6. hubiera; 7. apareciera.

Ejercicio 6.
1. ¡Ojalá (que) se acabara el hambre en el mundo!; 2. ¡Ojalá (que) apareciera el libro que perdí!; 3. ¡Ojalá (que) no me quedara calvo nunca!; 4. ¡Ojalá (que) aprobara el examen de conducir a la primera!; 5. ¡Ojalá (que) todos viviéramos 200 años!; 6. ¡Ojalá (que) hubiera paella para comer!; 7. ¡Ojalá (que) se arreglaran nuestros problemas!

Ejercicio 7.
1-e, vieras; 2-f, saliera; 3-a, pudieras; 4-h, comieran; 5-b, fueran; 6-i, estuvieran; 7-j, saliera; 8-c, llegara, tomara; 9-g, regresara.

Ejercicio 8.
1. llegaras; 2. diera; 3. supieran; 4. sacaras; 5. lloviera; 6. fueras; 7. fuera; 8. dijera; 9. fuera; 10. condujera; 11. hiciera; 12. quisiera. *Conclusión:* pasado, condicional.

Ejercicio 9.
1. debiéramos, No; 2. diera, Sí; 3. debiera, No; 4. pronunciara, No; 5. fuera, Sí; 6. metiera, No; 7. quisiera, No; 8. estuviéramos, Sí; 9. quisiera, No.

Ejercicio 10.
1. leyeras; 2. tomaras; 3. soltaras; 4. estuvieras; 5. tuviera; 6. supiera; 7. fuera; 8. escapáramos; 9. fueras.

Tema 6. El pretérito perfecto de subjuntivo

Ejercicio 1.
1-d; 2-e; 3-a; 4-g; 5-h; 6-c; 7-f; 8-j; 9-k; 10-i.

Ejercicio 2.
1. hayan enviado; 2. hayan resuelto; 3. haya vuelto; 4. haya visto; 5. hayan abierto; 6. haya hecho; 7. haya tocado; 8. haya llamado; 9. haya llovido; 10. hayan puesto.

Ejercicio 3.
1-c; 2-b; 3-a; 4-c; 5-a; 6-b; 7-c; 8-d.

Ejercicio 4.
1. haya llegado; 2. vengan; 3. salga; 4. haya pasado; 5. hayan abierto; 6. hayan entrado;

7. hayan salido; 8. hayáis pasado; 9. estés; 10. hayas enfadado.

Ejercicio 5.
1. hayas acabado; 2. hayas preparado; 3. haya dejado; 4. hayas llegado; 5. hayáis hablado.

Ejercicio 6.
1. hayáis ido; 2. hayas abierto; 3. hayas sido; 4. hayas corregido; 5. haya sido; 6. hayáis comprendido.

Tema 7. El pretérito pluscuamperfecto de subjuntivo

Ejercicio 1.
1. te hubieras / hubieses ido; 2. hubiéramos / hubiésemos llamado; 3. hubierais / hubieseis ido; 4. hubiera / hubiese habido; 5. hubiera / hubiese aprendido; 6. hubierais / hubieseis llegado; 7. hubierais / hubieseis traído; 8. hubieras / hubieses sido; 9. hubierais / hubieseis estado; 10. hubiera / hubiese vivido.

Ejercicio 2.
1. pudiéramos / pudiésemos; 2. hubiera / hubiese comprado; 3. Hubiéramos / Hubiésemos salido; 4. hubiera / hubiese gustado; 5. hubiera / hubiese gustado: 6. Quisiera; 7. hicieras / hicieses; 8. hubierais / hubieseis discutido; 9. hubiera / hubiese ido; 10. hubiera / hubiese enviado.

Ejercicio 3.
1. hubieras venido; 2. hubiera nevado; 3. hubiera encantado; 4. hubiera regañado; 5. hubiera fallado; 6. hubiera comprado; 7. hubieras escuchado; 8. hubiera ganado; 9. hubiera comprado; 10. hubieras estudiado; 11. Hubiera visto.

Ejercicio 4.
1-j, hubiera aprendido; 2, hubieras podido-l; 3, hubieras dormido-c; 4, hubiera vendido-h; 5-a, hubiéramos participado; 6, hubiera traído-g; 7, se hubieran informado-e; 8-b, hubieran presentado; 9, hubiera actuado-i; 10, hubieras devuelto-d; 11, hubiera encantado-k.

Ejercicio 5.
1. hubieras / hubieses bailado; 2. hubieras / hubieses visto; 3. hubieras / hubieses jugado; 4. hubieras / hubieses ido; 5. hubiera / hubiese fumado; 6. hubieras / hubieses estado; 7. hubieras / hubieses ido; 8. hubieran / hubiesen curado; 9. Hubieras / Hubieses llamado; 10. hubieras / hubieses pintado; 11. Hubieras / Hubieses leído.

Tema 8. Las perífrasis verbales

Ejercicio 1.
1. debes; 2. Debe de; 3. Debe de; 4. Deben de; 5. debes; 6. Debes; 7. Debe de; 8. Deben de; 9. debe.

Ejercicio 2.
1. A Jorge debe de habérsele pegado la comida porque huele a quemado; 2. Ahora mismo me pongo a estudiar el tema de las perífrasis para terminar con los deberes de hoy; 3. Por lo que dices, debes de pensar que yo no tengo valor para enfrentarme a ella; 4. Es una persona muy obsesiva y, nada más llegar a casa, se pone a ordenar su colección de relojes y los coloca por tamaños y colores; 5. Luis y Laura deben de calcular muy mal su tiempo porque siempre llegan tarde; 6. Guillermo se pone a bailar y a cantar como un loco cuando suena en la radio su canción favorita.

Ejercicio 3.
1. fue descubierto gracias a las grabaciones; 2. fue grabado; 3. fue visto; 4. fue arrestado; 5. Fue acusado de robo con intimidación; 6. será condenado a diez años de cárcel.

Ejercicio 4.
1-f; 2-h; 3-a; 4-e; 5-g; 6-i; 7-b; 8-d; 9-c.

Ejercicio 5.
1. me pongo a buscar; 2. Deben de ser; 3. fue acusado; 4. fue condenado; 5. deben de tener; 6. deben de creer; 7. se puso a llover; 8. Me puse a llorar; 9. se pone a cantar.

Ejercicio 6.
1. me pongo a revisar; 2. recojo; 3. deben de ser; 4. se pondrá a hablar; 5. Debo darme.

Ejercicio 7.
1. fue implantado; 2. fue atendida; 3. ponerse a llorar; 4. Se puso a estudiar; 5. han sido elegidos; 6. ponerse a hablar; 7. debía de estar.

Tema 9. *Ser y estar*

Ejercicio 1.
1. 1-a, 2-b; 2. 1-b, 2-a; 3. 1-b; 2-a; 4. 1-a, 2-b; 5. 1-b, 2-a.

Ejercicio 2.
1. Es; 2. Es; 3. están; 4. está; 5. está; 6. fue, estuvo; 7. está; 8. está; 9. es; 10. hubiera estado.

Ejercicio 3.
1. es; 2. estoy; 3. Estoy; 4. está; 5. está; 6. es; 7. fue; 8. está; 9. es; 10. soy, está.

Ejercicio 4.
1. fue, está; 2. estuvo, fue; 3. fue, está; 4. fue, está; 5. estaba, son; 6. es, está; 7. está, sea; 8. es, está.

Ejercicio 5.
1. Los profesores han dicho que Ana es muy lista; 2. Chucho Valdés está considerado uno de los mejores pianistas del mundo; 3. Mi coche está asegurado en una buena compañía; 4. No he comprado fruta porque está muy verde; 5. El edificio fue reconstruido en 1990; 6. Toda la ciudad está atenta a la trayectoria del huracán; 7. La casa fue pintada antes de que entráramos a vivir; 8. El señor Gómez fue destituido de su cargo el año pasado.

Ejercicio 6
1. está; 2. está; 3. fue, está; 4. fue, fueron, fue; 5. fue; 6. es; 7. sea; 8. son; 9. fuera; 10. está, es.

Ejercicio 7.
1. Es; 2. es; 3. estamos; 4. Está; 5. es; 6. es; 7. estamos; 8. ser; 9. será; 10. es; 11. está; 12. es; 13. Es; 14. es; 15. estoy; 16. está; 17. ser; 18. es; 19. seas.

Tema 10. Los verbos de cambio

Ejercicio 1.
1. ponerse; 2. volverse; 3. quedarse; 4. hacerse; 5. ponerse; 6. ponerse; 7. quedarse; 8. ponerse; 9. ponerse.

Ejercicio 2.
1. se ha vuelto; 2. Se hizo; 3. Se hizo; 4. se volvió; 5. se ha vuelto; 6. Se ha vuelto; 7. se quedó; 8. se quedaron; 9. Me puse.

Ejercicio 3.
1. me puse; 2. Se ha quedado; 3. Me hice; 4. Se hizo; 5. Se volvió; 6. Se puso; 7. se quedó.

Ejercicio 4.
1. me puse; 2. me quedo; 3. se puso; 4. se puso; 5. se quede; 6. Se han vuelto; 7. se volvió; 8. se puso; 9. te pongas.

Ejercicio 5.
1. Antes era un chico muy tímido, pero se ha vuelto muy abierto; 2. Mi hermana se pone histérica cuando tiene que ir al dentista; 3. En los 90 todavía éramos jóvenes, pero ya nos hemos hecho mayores; 4. Este chico tuvo un accidente de moto y se quedó cojo; 5. Se ha puesto muy pálido porque se ha llevado un susto de muerte; 6. Estuvo en Tenerife de vacaciones y se puso muy moreno; 7. ¡Pobre Rafael! Se arruinó el negocio que montó y ahora se ha quedado sin dinero; 8. La policía le pidió la documentación y se puso pálido; 9. El domingo hizo sol toda la mañana, pero a mediodía el cielo se puso negro y empezó a llover.

Ejercicio 6.
1. Que se ha hecho vegetariana; 2. Se pone roja; 3. Que se ha hecho famoso; 4. No, se ha hecho budista; 5. No, se ha hecho cienciólogo; 6. Que se ha vuelto un desconfiado / se ha vuelto muy desconfiado; 7. Me quedaría pálido / Me pondría nervioso / histérico; 8. Que se ha quedado en el paro; 9. Que se ha vuelto rico; 10. Que se ha hecho rico.

Ejercicio 7.
1. se volvió, Juana La Loca; 2. vuelve, Alejandro Sanz; 3. se pone, John McEnroe; 4. se volvió, Michael Jackson; 5. se quedó, Goya.

Ejercicio 8.
1. nos ponemos; 2. nos quedamos; 3. se vuelven; 4. Nos hacemos; 5. nos volvemos; 6. nos volvemos; 7. quedarme; 8. quedarme; 9. Nos hacemos; 10. nos ponemos.

Tema 11. Las oraciones sustantivas I

Ejercicio 1.
1-k; 2-i; 3-j; 4-c; 5-b; 6-d; 7-a; 8-e; 9-h; 10-g.

Ejercicio 2.
1. arregló; 2. vino; 3. haya aparcado; 4. había; 5. tenía; 6. quisiera; 7. había llegado; 8. hubiera llovido; 9. era; 10. ha crecido.

Ejercicio 3.
1. El ministro aclaró que estuvo hablando con el presidente del problema económico; 2. El abogado aseguró que su cliente era insolvente; 3. Supongo que estudió mucho para este examen; 4. El vendedor notó que el cliente no le había pagado; 5. Después del enfado, Paco no imagina que tengas ganas de verlo; 6. El fontanero no comprobó que las tuberías estuvieran en perfecto estado; 7. Mercedes no comprendió que nosotros tuviéramos tanto sueño la semana pasada; 8. Pilar no consideró que fuera necesaria tu presencia; 9. No se lo dije, simplemente intuyó que no compartíamos su opinión.

Ejercicio 4.
1. necesitaras; 2. firmó; 3. he visto; 4. trabajas; 5. compráramos; 6. hiciste; 7. hayas limpiado.

Ejercicio 5.
1. tenía; 2. dijera; 3. sabías; 4. quería; 5. había dicho; 6. llegue; 7. estás; 8. quiero; 9. desaparece; 10. sea.

Ejercicio 6.
1.a. recogieras; 1.b. recogía; 2.a. se fuera; 2.b. estaban; 3.a. era; 3.b. fuera; 4.a. hacía; 4.b. entreguéis.

Ejercicio 7.
1. son; 2. trabajan; 3. son; 4. tiene; 5. necesite; 6. busque; 7. tiene; 8. son; 9. espero; 10. deseo; 11. tenga; 12. huyo; 13. enseñaron.

Tema 12. Las oraciones sustantivas II

Ejercicio 1.
1. puedas; 2. buscar; 3. haga; 4. salgamos; 5. ponerse; 6. pasear; 7. fumar; 8. vengas; 9. salir; 10. haya.

Ejercicio 2.
1. compren; 2. tengan; 3. llueva; 4. seas, presentes; 5. ayudes; 6. sepa; 7. recibir; 8. duela; 9. callemos; 10. haya.

Ejercicio 3.
1-e; 2-h; 3-f; 4-b; 5-d; 6-c; 7-a.

Ejercicio 4.
1. viajaran; 2. trabajara; 3. acompañara; 4. adaptara; 5. pensara; 6. convencerle; 7. discutieran; 8. hablara.

Ejercicio 5.
1. que, trabajen; 2. que, se enfade; 3. Ø, leer; 4. que, diga; 5. Ø, desayunar; 6. que, tengas; 7. que, esté; 8. que, estudiáramos.

Ejercicio 6.
1. El juez sugirió al abogado que presentara más pruebas / El juez sugirió al abogado presentar

más pruebas; 2. El abogado pidió al acusado que le dijera la verdad; 3. El publicista intentó sorprender a sus clientes con un anuncio impactante; 4. El alumno suplicó al profesor que le subiera la nota; 5. Jaime no consiguió que la aseguradora le indemnizara; 6. A tu mujer le molestó mucho que trabajaras todo el fin de semana; 7. Tu mejor amigo te aconsejó que fueras en avión / Tu mejor amigo te aconsejó ir en avión.

Ejercicio 7.
1. vierais; 2. habléis; 3. haya venido; 4. hablara; 5. veamos; 6. vayamos; 7. hubierais dicho; 8. pase; 9. cantara.

Ejercicio 8.
1. me sorprende; 2. me hace gracia; 3. Me divierte; 4. nos ha pedido; 5. me da igual que; 6. necesitáis que; 7. consiguen que; 8. prefiero que; 9. ruego a todas que; 10. Intento.

Tema 13. Las oraciones sustantivas III

Ejercicio 1.
1-g; 2-e; 3-c; 4-a; 5-d; 6-b.

Ejercicio 2.
1. confirmes; 2. lleve; 3. hay; 4. entregues; 5. firme; 6. exista; 7. tenga; 8. limpie.

Ejercicio 3.
1. estuviste, llamaste; 2. fuera; 3. tengo; 4. matriculaste, presentaste; 5. consiguió; 6. solicitaste; 7. sea; 8. es; 9. están.

Ejercicio 4.
1. hacer; 2. compró; 3. practicar; 4. esté; 5. entregue; 6. gritó; 7. tuvo; 8. quiere; 9. comenzarán; 10. intentes.

Ejercicio 5.
1. No conviene llevarse mucha ropa en este viaje; 2. Queda claro que él tiene coche nuevo; 3. En el listado no consta que María fuera a la excursión del mes pasado; 4. En el certificado no aparece que te licenciaras en 1996; 5. No basta saber idiomas para tener un buen trabajo; 6. Resulta difícil que el médico te atienda hoy; 7. Queda que recojas tu dormitorio antes de salir.

Ejercicio 6.
1. pagar; 2. llamé; 3. fuera; 4. había; 5. tienen; 6. hay; 7. mencionar; 8. importaba; 9. informarle; 10. desear.

Ejercicio 7.
1. haya estudiado; 2. tenemos, tengamos; 3. presentemos; 4. sea; 5. sea.

Tema 14. Las oraciones de relativo

Ejercicio 1.
1-d; 2-h; 3-c; 4-g; 5-e; 6-a; 7-j; 8-f; 9-b.

Ejercicio 2.
1. haya; 2. pierde; 3. haya; 4. estuvimos; 5. hagas; 6. reparen; 7. sale.

Ejercicio 3.
1. pueda; 2. tenga; 3. tenía; 4. funcione, va; 5. hay; 6. respeta.

Ejercicio 4.
1. explique; 2. vivió; 3. era; 4. quepa; 5. llevo; 6. cuide, puede; 7. ha hecho; 8. hace; 9. guste.

Ejercicio 5.
1. lleguen; 2. diga; 3. haya; 4. guste; 5. atendió; 6. tenga; 7. tenga; 8. recomendamos; 9. apetezca; 10. estudia; 11. haga; 12. está; 13. interese.

Ejercicio 6.
1. No sé dónde he puesto el bolso Ø que llevaba esta mañana; 2. Mi vecino Diego, el que siempre grita en las juntas de vecinos, vende su casa. ¡Qué tranquilos nos vamos a quedar!; 3. Me llamó mi amiga Marina, la que vive en Costa Rica, para contarme que se viene de va-

caciones a España. ¡Qué ganas tengo de verla!; 4. Ayer estuvimos en ese bar Ø donde hacen las patatas al estilo alemán. ¿Sabes a cuál me refiero?; 5. La librería aquella, donde compré tu enciclopedia, ha cerrado; 6. Me encanta el traje Ø que te compraste ayer; 7. Yo estudié en ese edificio, el que tiene los ladrillos rojos.

Ejercicio 7.
1. necesitas; 2. se ajusten; 3. aparezcan; 4. haya; 5. tienen; 6. quieres; 7. intente; 8. ofrezca; 9. desees; 10. quieras.

Ejercicio 8.
Especificativas: elementos que lo integran y que en el Levante se sabe combinar siempre armónicamente; región en donde las sopas frías han tenido siempre una gran acogida; fórmulas que se adaptan muy bien a las corrientes actuales; los gazpachos que no engordan; en aquellas Olimpiadas Gastronómicas que presidieron los Reyes de España.
Explicativas: esta formulación popular, que es heredera de los hábitos de muchas generaciones; dieta mediterránea, que aspira a convertirse en breve en Patrimonio Inmaterial de la Humanidad que concede la UNESCO; la difusión de la principal de las sopas frías del sur, que ya se ha extendido por todo el territorio nacional; los gazpachos, que son con manzana verde y no con pan como se elaboran.

Tema 15. Las oraciones temporales

Ejercicio 1.
1. hace; 2. llueve; 3. nos enteremos; 4. acabemos; 5. llegabas; 6. entramos; 7. hayáis llegado; 8. pone; 9. volváis; 10. llamasteis; 11. terminemos; 12. era.

Ejercicio 2.
1. Hasta que pueda; 2. Cuando encuentre a un hombre bueno y guapo; 3. Cuando vivía en el centro; 4. En cuanto llegue el buen tiempo; 5. Una vez que acabe de leerlo; 6. Cuando tenga más tiempo; 7. Cuando me crezca un poco más; 8. Los fines de semana, cuando me reuno con mis amigos; 9. En el momento en que termine la mudanza; 10. Hasta que acabe el curso; 11. Cuando fui por primera vez a España; 12. Cuando estaba en la universidad.

Ejercicio 3.
1-b; 2-a; 3-d; 4-g; 5-h; 6-c; 7-i; 8-f.

Ejercicio 4.
1. Cuando; 2. en cuanto; 3. Una vez; 4. Al; 5. tan pronto como; 6. hasta que; 7. antes de que; 8. una vez que.

Ejercicio 5.
1. tan pronto como; 2. al; 3. Apenas; 4. hasta que; 5. Al; 6. una vez; 7. después de.

Ejercicio 6.
1. terminara; 2. entrar; 3. llegar; 4. cenar; 5. anochezca; 6. resuelto; 7. subir; 8. hacer; 9. estuvisteis / estuvierais; 10. conducir; 11. irte; 12. tenga; 13. duermo; 14. tengas; 15. reciban; 16. me enteré; 17. está; 18. pases; 19. aparcar; 20. llegue; 21. estábamos; 22. podamos; 23. imprimir; 24. friego; 25. sea; 26. comprar; 27. saliste / salieras; 28. verme; 29. termines; 30. salir.

Ejercicio 7.
1. hierva; 2. puedes; 3. se acabe; 4. consiga, 5. vea; 6. tuvimos; 7. estés; 8. volvierais: 9. hablasteis / hablarais; 10. adquieras; 11. llevas; 12. necesites; 13. escribiste, 14. te vayas; 15. finalice.

Ejercicio 8.
1. Cuando está de vacaciones; 2. Siempre que está en un país lejano; 3. Cuando tenga tiempo y después de que decida adónde ir; 4. A la India, cuando era joven.

Acciones pasadas: Cuando era joven, solía pasar allí tres meses.
Acciones habituales: Antes de decidirme por un lugar, suelo pensar en un destino lejano; Cuando estoy en un país lejano al nuestro, desconecto mucho más; En cuanto llego y veo que todo es diferente, hay algo que se activa en mí; Cuando experimento algo sí, estoy mucho más receptivo; En cuanto me libere del trabajo y saque tiempo para un viaje, lo pensaré.
Acciones futuras: Cuando me decida, iré a algún país del Lejano Oriente; En cuanto llegue allí, espero que se active esta sensación; Cuando vea los colores de los vestidos de la gente...; Cuando huela los mercadillos...; Cuando sienta la cálida atmósfera...

Tema 16. Las oraciones finales

Ejercicio 1.
1. para que yo pudiera; 2. para conocer, para que puedan; 3. para arreglar, para marcharse; 4. para estar, para estar, Para poder.

Ejercicio 2.
1-e; 2-h; 3-g; 4-c; 5-f; 6-j; 7-b; 8-a; 9-i.

Ejercicio 3.
1. A fin de que; 2. a efectos de; 3. Con el objeto de; 4. a fin de que.

Ejercicio 4.
1-b; 2-e; 3-f; 4-d; 5-c; 6-g; 7-h.

Ejercicio 5.
1. a solucionarles; 2. a ponerme, a que lo compruebes; 3. a subirse, a que bajase; 4. a medir, a ver, a que le paguemos.

Ejercicio 6.
1. Quiero agradecer a todos los que confiaron en mí para sacar adelante este proyecto; 2. Los actores españoles estamos haciendo un esfuerzo para que el cine de nuestro país tenga una gran presencia internacional; 3. Hoy he venido aquí a agradeceros a todos este magnífico apoyo; 4. Y que sean mis palabras las que den aliento a tantos jóvenes que aman el cine para que sigan amándolo; 5. Muchas gracias a mi madre, a mis compañeros, a mi país, a mi lengua...

Ejercicio 7.
1. para; 2. para; 3. con el objeto de; 4. a fin de que; 5. para; 6. a efectos de; 7. Con el objeto de; 8. para que.

Tema 17. Las oraciones causales

Ejercicio 1.
1. porque; 2. Puesto que; 3. puesto que, porque, porque; 4. Puesto que, porque.

Ejercicio 2.
1. Ya que te quedas a comer, ¿por qué no me enseñas a preparar el guiso de ternera que te sale tan bien y le digo luego a mi madre que lo he hecho yo?; 2. Lo preparamos, pero tu madre no se va a creer que lo has hecho tú porque conoce perfectamente tus dotes para la cocina; 3. No he podido escribirte debido a que he tenido muchísimo trabajo hasta hoy; 4. Como tengo doce hermanos, las Navidades siempre son unas fiestas multitudinarias en mi casa; 5. Puesto que han venido a visitarme mis padres, aprovechamos para ver el interior de la mezquita y, al salir, tomarnos unas berenjenas con miel en el bar de Miguel.

Ejercicio 3.
1. Ya que estás aquí, aprovecho para preguntarte una duda del examen de Matemáticas del martes; 2. He llegado tarde a la reunión de esta mañana en Bruselas debido a que había huelga de controladores y nos han tenido tres horas metidos en el avión en el aeropuerto de Barajas; 3. Ya que vas al supermercado, tráeme nata líquida y levadura. Hoy voy a hacer bizcocho de yogur; 4. Ya que te has levantado a coger una servilleta, dale el mando a distancia a Juan, que quiere ver su programa favorito de la televisión.

Ejercicio 4.
1-g; 2-f; 3-a; 4-b; 5-h; 6-d; 7-c.

Ejercicio 5.
1. Debido a que; 2. Como; 3. puesto que; 4. ya que.

Tema 18. Las oraciones condicionales introducidas por *si*

Ejercicio 1.
1. quiere; 2. nos quedamos / nos quedaremos; 3. iremos / vamos; 4. te has levantado; 5. conduzcas; 6. ha llegado; 7. conecta.

Ejercicio 2.
1. mintiera; 2. hiciéramos; 3. siguieras; 4. vinieras; 5. quisieras; 6. dijera; 7. hicieras, podrías.

Ejercicio 3.
1-d; 2-b; 3-i; 4-h; 5-g; 6-f; 7-a; 8-e.

Ejercicio 4.
1. hicieras, estarías; 2. levantaras; 3. pagarías; 4. hubieras llamado, tendría; 5. cambiaríamos, estaríamos; 6. hubiera pensado; 7. pidieras, darían; 8. hablara, viajaría; 9. hubiera sabido; 10. hubieras entretenido, llegaríamos.

Ejercicio 5.
1. hubiera tenido / hubiese tenido, habría podido; 2. hubieras visto / hubieses visto; 3. hubieras vuelto / hubieses vuelto, habrías visto; 4. habría cometido, hubiera consultado / hubiese consultado; 5. Habría estudiado, hubiera hecho / hubiese hecho; 6. hubiéramos tomado / hubiésemos tomado, habríamos podido; 7. hubieras bebido / hubieses bebido; 8. hubiera llovido / hubiese llovido, habríamos podido.

Ejercicio 6.
1. b; 2. c; 3. c; 4. b; 5. b; 6. a; 7. a.

Ejercicio 7.
1. tendría; 2. Tendría; 3. habríais hecho; 4. sería; 5. se hubiera puesto / hubiese puesto; 6. hubiera llovido / hubiese llovido, podríamos; 7. hubiera viajado / hubiese viajado, iría; 8. hubiera acabado / hubiese acabado, habríamos visto.

Ejercicios 8.
1. me pondría moreno; 2. tuviera dinero; 3. tuviera un problema con el coche; 4. todos pensaran en los demás; 5. no estudiaría castellano; 6. hubiera tenido / hubiese tenido vacaciones; 7. tendría una profesión de riesgo; 8. te lo habría dicho; 9. compraría otra más moderna; 10. habría hecho el trabajo más rápido.

Tema 19. Otras oraciones condicionales

Ejercicio 1.
1-d; 2-f; 3-e; 4-g; 5-i; 6-k; 7-c; 8-h; 9-j; 10-a.

Ejercicio 2.
1. A menos que sea usted claustrofóbico-c; 2. Con que dedique unos minutos a leer la cartelera-a.

Ejercicio 3.
1. Con que; 2. siempre y cuando; 3. con un poco que; 4. por si; 5. salvo que; 6. salvo si; 7. con un poco de suerte que; 8. por si; 9. siempre y cuando.

Ejercicio 4.
1. d; 2. b; 3. b; 4. c; 5. b; 6. c; 7. d; 8. b.

Ejercicio 5.
1. conceden; 2. se garanticen; 3. abras; 4. lleves; 5. fuera ; 6. vuelvo; 7. hiciera; 8. hubiera seguido / hubiese seguido; 9. hubieras olvidado / hubieses olvidado.

Ejercicio 6.
1. por si lo necesito; 2. excepto que vuelvan; 3. con tal de que hubieras buscado / hubieses buscado; 4. por si fuera; 5. salvo si adelantan; 6. excepto que cambie; 7. Con que nos hubieras ayudado / hubieses ayudado; 8. salvo que quieras; 9. con tal de que entregues; 10. Con que la mires.

Ejercicio 7.
1. rellenes el formulario; 2. nos des los datos necesarios; 3. accedas a la opción «Acceso clientes»; 4. puedes llamar tú; 5. tú lo autorices.

Tema 20. Las oraciones consecutivas

Ejercicio 1.
1-c; 2-g; 3-d; 4-b; 5-k; 6-i; 7-a; 8-j; 9-h; 10-e.

Ejercicio 2.
1. saludo; 2. conozco; 3. invitaré; 4. tómate; 5. déjame; 6. llévate; 7. empezamos; 8. dormíamos; 9. pueda; 10. date.

Ejercicio 3.
1. quiero; 2. puedo; 3. llegan; 4. métete; 5. podremos; 6. pueda; 7. me entero; 8. quiera; 9. decidió; 10. pudimos.

Ejercicio 4.
1-d, recoge; 2-h, iré; 3-i, aprobaré; 4-c, contagia; 5-j, están; 6-b, se convirtió; 7-f, baja; 8-g, se despierta; 9-e, salimos.

Ejercicio 5.
1. tan; 2. tan; 3. tan; 4. tanto; 5. tanta; 6. tanto.

Ejercicio 6.
1. tantos; 2. tanto; 3. tan; 4. tanto; 5. tan; 6. tal; 7. tanta.

Ejercicio 7.
1. F; 2. F; 3. C; 4. F; 5. F; 6. C; 7. C; 8. C.

Ejercicio 8.
1-c; 2-e; 3-b; 4-a.

Tema 21. Las oraciones comparativas

Ejercicio 1.
1. Me gusta mucho más comer en casa que ir a un restaurante, aunque luego tenga que fregar los platos; 2. Todavía me duelen los pies porque ayer Eva me prestó unos zapatos más bonitos que los que yo tenía preparados, pero mucho más incómodos; 3. Creo que tenemos gustos diferentes porque Joaquín es mucho más atractivo de lo que tú me habías dicho; 4. Tú coche es mucho mejor que el de mi tío Juan porque corre el doble que el suyo; 5. Desde pequeños nos dicen que más vale reír que llorar; 6. Me encanta ir al auditorio a escuchar conciertos porque la música suena mil veces mejor que en casa.

Ejercicio 2.
1-g; 2-j; 3-h; 4-a; 5-i; 6-b; 7-e; 8-c; 9-f.

Ejercicio 3.
1. tanto; 2. como; 3. tan; 4. como; 5. lo mismo que; 6. tanto; 7. como; 8. igual que; 9. tan; 10. como; 11. tantas como; 12. lo mismo que.

Ejercicio 4.
1. El que menos cuesta es el dúplex; 2. El tiene más calidad presenta es el Audi A3; 3. El que menos kilometraje tiene es el Audi A3.

Ejercicio 5.
1. el; 2. de; 3. más; 4. que; 5. menos que; 6. igual que; 7. más; 8. que; 9. nada más que; 10. menos que; 11. más; 12. que; 13. Igual que; 14. más; 15. que; 16. más; 17. que; 18. más; 19. que; 20. menos; 21. que; 22. Igual que.

Ejercicio 6.
1. Los vestidos cuestan la mitad que antes; 2. Los pantalones cuestan seis veces menos que antes; 3. Los cinturones cuestan el doble que antes; 4. Los bolsos cuestan cinco veces menos que antes.

Ejercicio 7.
1. que; 2. superior; 3. al; 4. tan; 5. como; 6. el doble; 7. igual que; 8. superior; 9. tantos; 10. como; 11. lo mismo que.

Tema 22. Las oraciones adversativas y concesivas

Ejercicio 1.
1-j; 2-h; 3-g; 4-d; 5-e; 6-c; 7-a; 8-f; 9-b.

Ejercicio 2.
1. aunque; 2. A pesar; 3. Aunque; 4. sino; 5. a pesar del; 6. aunque; 7. sino; 8. No obstante; 9. A pesar; 10. sino.

Ejercicio 3.
1. Por poco que; 2. Tanto si; 3. por más que; 4. A pesar de.

Ejercicio 4.
1-a; 2-i; 3-c; 4-e; 5-d; 6-f; 7-h; 8-g.

Ejercicio 5.
1. elegimos; 2. haya; 3. hay; 4. esquías; 5. tener; 6. se trata; 7. piensas.

Ejercicio 6.
1. Buenos días. Antes de comenzar esta rueda de prensa, querría agradecer a los medios de comunicación presentes hoy aquí en Memphis, Tennessee, aunque ya he hablado individualmente con cada uno de vosotros, vuestra importante labor durante este Mundial de Baloncesto; 2. El partido ha sido muy emocionante y, aunque en un principio nos haya fallado la táctica prevista para anotar los puntos necesarios, a pesar de los golpes que hemos recibido, al final hemos conseguido ganar; 3. El partido ha ido muy bien, especialmente en el último cuarto, y eso que ha sido el momento en el que mejor han jugado nuestros rivales, a pesar de tener en el banquillo a su mejor pívot; 4. No quiero despedirme sino decir, espero, hasta pronto. Quiero, además, tanto si me renuevan el contrato como si no, agradecer al público su lealtad durante todos estos meses.

Ejercicio 7.
1. tanto si quiere; 2. como si quiere; 3. a pesar de que puede; 4. aunque; 5. no obstante; 6. sino.

Tema 23. Las oraciones de modo

Ejercicio 1.
1-d; 2-a; 3-b; 4-c; 5-f.

Ejercicio 2.
1. según les explicó; 2. según el proyecto; 3. como se estira; 4. según se detalla; 5. como creas; 6. según marcaban.

Ejercicio 3.
1. se detalla; 2. exige; 3. proponen; 4. creyera; 5. convengan; 6. esperaban; 7. han hecho.

Ejercicio 4.
1-2-13-14-5-6-8-7-15-18-10-9-3-4-11-12-17-16.

1. falso; 2. falso; 3. verdadero; 4. verdadero; 5. falso.

Ejercicio 5.
1-c-IV, como se señalaba; 2-d-V, como diga; 3-a-II, como estimes; 4-b-III, como dicta.

Anexo 1. Los sustantivos femeninos con determinantes masculinos

Ejercicio 1.
1. la; 2. la; 3. el; 4. el; 5. el; 6. el; 7. el; 8. la; 9. el; 10. el; 11. el; 12. el; 13. el; 14. el; 15. el; 16. el; 17. la; 18. el; 19. el; 20. el; 21. el; 22. el; 23. el; 24. el; 25. el; 26. el; 27. el; 28; el; 29. el; 30. el; 31. el.

Ejercicio 2.
1. el; 2. el; 3. El; 4. el, el; 5. la; 6. El; 7. las; 8. el; 9. el.

Ejercicio 3.
1. Ø; 2. la; 3. las; 4. el; 5. al, 6. al; 7. el; 8. el.

Ejercicio 4.
1. el ansia; 2. el alba; 3. el asa; 4. el ajo; 5. el habla; 5. el aspa.

Anexo 2. La formación de sustantivos femeninos abstractos

Ejercicio 1.
1. la; 2. la; 3. la; 4. el; 5. la; 6. la; 7. el; 8. la.

Ejercicio 2.
1. la; 2. la; 3. la, la; 4. la, la; 5. la; 6. la; 7. el.

Ejercicio 3.
1. la; 2. una; 3. una; 4. La; 5. la; 6. La.

Ejercicio 4.
1. la institutriz; 2. la emperatriz; 3. la directriz.

Ejercicio 5.
1. la vejez; 2. la estupidez; 3. la escasez; 4. la timidez; 5. la honradez; 6. la idiotez; 7. la delgadez; 8. la validez; 9. la desnudez; 10. la palidez.

Ejercicio 6.
1. exquisito; 2. insensato; 3. intrépido; 4. niño; 5. nítido; 6. rápido; 7. rígido; 8. sórdido; 9. testarudo; 10. tozudo.

Ejercicio 7.
1. actividad; 2. amenidad; 3. anterioridad; 4. aparatosidad; 5. arbitrariedad; 6. barbaridad; 7. brusquedad; 8. celebridad; 9. clandestinidad; 10. complejidad; 11. complementariedad; 12. comunidad; 13. conflictividad; 14. curiosidad; 15. deportividad; 16. elasticidad; 17. emotividad; 18. espontaneidad; 19. eternidad; 20. falsedad; 21. familiaridad; 22. notoriedad; 23. precariedad.

Ejercicio 8.
1. frívolo; 2. general; 3. generoso; 4. hispano; 5. honesto; 6. humano; 7. idóneo; 8. imbécil; 9. imparcial; 10. incrédulo; 11. indigno; 12. liberal; 13. luminoso; 14. majestuoso; 15. marginal; 16. masculino; 17. musical; 18. paterno; 19. severo; 20. solidario; 21. tranquilo.

Ejercicio 9.
1. admisible, admitir; 2. probable, probar; 3. rentable, rentar; 4. visible, ver; 5. respetable, respetar.

Ejercicio 10.
1. contraer; 2. contradecir; 3. deducir; 4. destruir; 5. elegir; 6. extraer; 7. producir; 8. proteger; 9. reducir; 10. satisfacer; 11. seducir; 12. sujetar; 13. sustraer; 14. traducir.

Ejercicio 11.
1. calificar; 2. certificar; 3. civilizar; 4. clasificar; 5. curar; 6. dedicar; 7. explicar; 8. formar; 9. fundar; 10. medicar; 11. obligar; 12. operar; 13. organizar; 14. pacificar; 15. reclamar; 16. relajar; 17. respirar; 18. señalizar; 19. simplificar; 20. unificar; 21. valorar.

Ejercicio 12.
1. cesión; 2. discusión; 3. diversión; 4. agresión; 5. comprensión; 6. concesión; 7. división; 8. prohibición; 9. expansión; 10. persuasión; 11. repercusión; 12. retransmisión; 13. sucesión; 14. extensión; 15. admisión.

Ejercicio 13.
1. la notoriedad; 2. la obviedad; 3. la humedad; 4. la vaguedad; 5. la antigüedad; 6. la sequedad; 7. la brusquedad; 8. la novedad; 9. la fugacidad; 10. la grabación; 11. la turbación; 12. la ubicación; 13. la dedicación; 14. la pacificación; 15. la planificación; 16. la escenificación; 17. la significación; 18. la personificación; 19. la verificación.

Ejercicio 14.
1. la pluralidad; 2. la concesión; 3. la igualdad; 4. la solidez.

Anexo 3. El número de los sustantivos especiales

Ejercicio 1.
1. el antivirus; 2. la hipótesis; 3. la síntesis; 4. la bronquitis; 5. la crisis; 6. el éxtasis; 7. la pa-

rálisis; 8. el énfasis.

Ejercicio 2.
1. aes; 2. guaus, miaus; 3. ces; 4. bueyes; 5. síes; 6. bungalós; 7. chalés; 8. gurúes; 9. jotas; 10. marroquíes.

Ejercicio 3.
1. gafas; 2. creces; 3. comicios; 4. añicos; 5. víveres.

Anexo 4. Contraste del pretérito imperfecto y el indefinido

Ejercicio 1.
1. iba, fue; 2. oía, oí; 3. dábamos, dimos; 4. eras, fuiste; 5. traducían, tradujeron; 6. tenías, tuviste; 7. veían, vieron; 8. andaban, anduvieron; 9. sabíais, supisteis; 10. estaba, estuve; 11. pedía, pedí; 12. traía, trajiste; 13. estaba, estuviste; 14. medían, midieron; 15. seguíamos, seguimos; 16. cantaba; canté; 17. conducía, conduje; 18. leías, leíste; 19. ponía, pusiste; 20. olíamos, olimos; 21. dormía, dormiste.

Ejercicio 2.
1. parecía; 2. estaban; 3. decías; 4. era; 5. iba; 6. esperaba; 7. ibas; 8. ibas; 9. llamabas.

Ejercicio 3.
1. íbamos, vinieron, nos quedamos; 2. íbamos, encontramos, hicisteis, Fuimos, fuisteis; 3. estuviste, Quería, compraste, vi; 4. prefería, tocaba.

Ejercicio 4.
1. Pensaba, tenía, quería, pudiste, Pasaste, pude, pasé, estaba; 2. trataba; 3. Era, preguntaste; 4. eras, he sido; 5. eras; 6. estuvimos, sabías; 7. quería, montó; 8. tomabas, me pasé.

Ejercicio 5.
1. a; 2. c; 3. c; 4. b; 5. a; 6. c; 7. c; 8. b; 9. b.

Anexo 5. Las oraciones condicionales con *si* especiales

Ejercicio 1.
1-d; 2-e; 3-a; 4-f; 5-c.

Ejercicio 2.
1. estarías; 2. habrá venido; 3. se encontraría; 4. sería; 5. habrá tomado; 6. habrá habido; 7. sabría; 8. dirías.

Autoevaluación

1. se las; 2. se me / se me; 3. se me; 4. ella / Ø; 5. donde; 6. Quien; 7. los que; 8. habremos tenido; 9. habremos recogido; 10. habré dado; 11. habrías querido; 12. Habría intentado; 13. habría llamado; 14. habríais podido; 15. durmieran; 16. hablarais; 17. viniera; 18. avisara; 19. hayan fallado; 20. haya llegado; 21. haya enfadado; 22. hubiera gustado; 23. hubiera pensado; 24. hubierais ido; 25. hubiera aceptado; 26. hubiera terminado; 27. hubiera ido; 28. Debe de; 29. se puso a; 30. fue descubierto; 31. me pongo a; 32. está; 33. es; 34. es; 35. fue; 36. son; 37. fue / está; 38. se quedaron; 39. Me puse; 40. tuviera; 41. fueras; 42. volverías; 43. haya estado; 44. estés; 45. leer; 46. presentaras; 47. comer; 48. escribiera; 49. fuera; 50. puedan; 51. nade; 52. son; 53. termines; 54. ordene; 55. vive; 56. compré; 57. resultara; 58. tenga; 59. haya / pueda; 60. era / vivía; 61. estaba / presentó; 62. fui / estaba; 63. llegó / confesó; 64. estoy / intento; 65. tenga / voy; 66. salir; 67. llegues; 68. Para darme; 69. que ella no se entere; 70. a que le cuente; 71. sepas; 72. como; 73. ya que; 74. son; 75. hiciera; 76. habrías pasado; 77. entiendes; 78. hubieras dicho; 79. habría comprado; 80. vamos; 81. conduzcas; 82. excepto que; 83. tienes; 84. podremos; 85. pueda; 86. por eso; 87. Tantas como; 88. más / de; 89. menos de; 90. sepamos; 91. A pesar de que; 92. sin embargo; 93. Aunque; 94. sino; 95. sin embargo; 96. como; 97. quieras; 98. novedades; 99. Íbamos; 100. llamabas.

Primera edición: 2008
Impreso en España / *Printed in Spain*

Autores: Antonio Cano Ginés, Pilar Díez de Frías, Cristina Estébanez Villacorta y Aarón Garrido Ruiz de los Paños
Coordinadora: Inmaculada Delgado Cobos

Dirección y coordinación editorial: Departamento de Edición de Edelsa
Diseño de cubierta, interior y maquetación: Departamento de Imagen de Edelsa

Imprenta: Lavel
ISBN: 978-84-7711-504-5
Depósito Legal: M-28023-2008